Tantos a quienes querer

Neva Milicic y Soledad López de Lérida | Ilustraciones de Patricia González

ZIG-ZAG LECTORCITOS

Gerente Editorial: Alejandra Schmidt Urzúa.
Editora: Camila Domínguez Ureta.
Director de Arte: Juan Manuel Neira Lorca.
Diseñadora: Mirela Tomicic Petric.

I.S.B.N.: 978-956-12-2867-2.
1ª edición: julio de 2013.
3ª reimpresión (nuevo formato): febrero de 2016.

© 2013 del texto por Neva Milicic Müller y
Soledad López de Lérida Milicic.
Inscripción N° 230.158. Santiago de Chile.
© 2013 de la edición por
Empresa Editora Zig-Zag, S.A.
Editado por Empresa Editora Zig-Zag, S.A.
Los Conquistadores 1700. Piso 10. Providencia.
Teléfono (56-2) 228107400. Fax (56-2) 228107455.
E-mail: zigzag@zigzag.cl / www.zigzag.cl
Santiago de Chile.

Impreso por Gráfica Andes.
Santo Domingo 4593.
Quinta Normal. Santiago de Chile.

Certificado PEFC

Este papel proviene de
bosques manejados en
forma sustentable y
fuentes controladas

PEFC

PEFC/24-31-4800   www.pefc.org

Hoy estaba con mi amiga Vicki
deshojando una margarita,
cuando ella me preguntó:
–Diego, ¿qué es lo que más
quieres en el mundo?

Me quiere mucho,

poquito,

nada ...

Me pilló de sorpresa.
–¿Personas o cosas? –le pregunté.
–Da lo mismo –me aclaró.

En las personas, tenía claro que
son mi mamá y mi papá.
Y en las cosas, lo que más quiero
son mis juguetes,
especialmente mi colección de autos.

Por suerte no me preguntó:
¿a quién quieres más?
¡Me carga esa pregunta!
Nunca sé qué contestar y me pone mal.

¡Hay tantas personas a las que quiero!
Quizás a los que más quiero después de mis papás,
son a mi tía Rosario y al tío Gastón.
Ellos me hacen sentir súper especial.
Soy su regalón.

9

Vicki quiere mucho a sus abuelas
porque sabe que ellas la quieren mucho
y tratan de darle en el gusto.
–Mi abuela –dijo Vicki– sabe que me encanta leer
y cada vez que termino un libro,
me lleva a la librería para que yo elija
el libro que más me gusta.

Yo también quiero mucho a mi abuelo;
dicen que me parezco a él
y eso me hace sentir orgulloso.

Miré a Vicki con dudas y le pregunté:
–¿Y a los hermanos?
Nos sentimos un poco aproblemados
porque a veces peleamos con ellos
y nos decimos cosas terribles;
pero igual los queremos harto.

Yo le conté lo importante que fue mi hermano
en mi primer día de clases.
Yo tenía susto y tanta pena que no quería ir,
pero me sentí seguro cuando él me tomó la mano
y jugó conmigo y con mis amigos todo el recreo.

Ese mismo día,
hice a mi primer amigo: Leonardo,
quien es hasta hoy mi mejor amigo.
¡Ni te imaginas qué cantidad de
aventuras hemos tenido juntos!

–Todavía me acuerdo de lo triste y preocupada
que me sentí cuando mi hermano estuvo
enfermo en el hospital –dijo Vicki.
A mí también me pasa algo parecido
cuando mi hermano se va de campamento:
lo echo de menos.

Nos pareció que era muy tonto
esperar a que pasen cosas terribles
y que estén lejos para darnos cuenta
de lo importante que son para nosotros.
Con un "choca esos cinco" nos
prometimos decirles hoy día mismo que
¡LOS QUEREMOS MUCHO!

–Y ¿a quién más queremos? –nos preguntamos.
–¡A los amigos y a la amigas! –respondimos.
Es totalmente distinto jugar solo que jugar
acompañado: ¡se pasa el doble de bien!

Con los amigos hacemos muchas cosas:
- Jugamos a la mímica y nos disfrazamos.
- Compartimos las consolas y las *tablets*.
- Inventamos clubes de todo tipo.

19

Y a ti, ¿qué te gusta hacer con tus amigos?

Me fascina estar con mis amigos.
Y aunque para algunos juegos no soy tan bueno,
ellos nunca se enojan si lo hago mal.

A Vicki no le gusta cuando sus amigas la hacen elegir si quiere estar con unas o con otras.
—¿Por qué no entienden que en mi corazón caben todas? Si parece que mientras a más personas quiero, más me caben adentro —me dijo un poco triste.

Yo también tengo muchos amigos.
A Roberto lo conozco desde que era chico.
Martín y Tere son más nuevos,
porque acaban de llegar al colegio.
¡Y no puedo olvidar a Leonardo!

Lo que me gusta más es que
nadie nos obliga a ser amigos.
Yo los escogí a ellos y ellos a mí.

–¡Ay, se me olvidaban mis primos y
mis primas! –agregó Vicki–. Los quiero
muchísimo y lo paso increíble con ellos.
¿Sabes lo que hicimos el otro día?
Bajamos de internet un programa
para aprender karate.
No aprendimos mucho,
pero ¡cómo nos divertimos!

A mí me gusta mucho estar con Mati,
que es mi primo amigo.
Tenemos casi la misma edad,
nos gustan las mismas cosas
y cuando jugamos a la pelota
no nos gana nadie.

27

–Me da un poco de vergüenza contarte
–le susurré a Vicki– que aunque ya estoy grande,
le tengo mucho cariño a mi oso de peluche.
Me acompañó tanto cuando era más pequeño,
que cuando estoy con él me siento protegido.

28

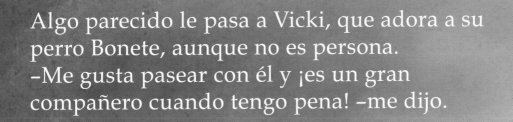

Algo parecido le pasa a Vicki, que adora a su perro Bonete, aunque no es persona.
–Me gusta pasear con él y ¡es un gran compañero cuando tengo pena! –me dijo.

Y mientras seguíamos deshojando
la margarita, Vicki me dijo:
–¿Sabes, Diego? Mi mamá dice que
la amistad es como las plantas:
Necesitan que las cuiden,
porque si no se secan.
Lo mismo pasa con los amigos:
si no les decimos lo importantes
que son para nosotros,
la amistad va perdiendo fuerza
y los amigos se van alejando.

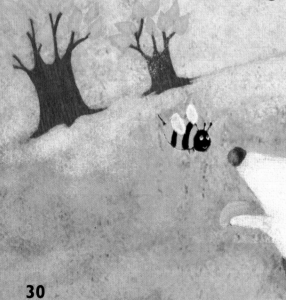

Es maravilloso tener tantas personas que nos quieran y tantos a quienes querer.